巴巴祖

巴巴布莱特

巴巴伯

巴巴拉拉

桂图登字：20-2009-146

**图书在版编目（CIP）数据**

巴巴爸爸建新家/（法）缇森，（法）泰勒著；谢逢蓓译.—南宁：接力出版社，2010.1
（巴巴爸爸经典系列）
书名原文：La maison de barbapapa
ISBN 978-7-5448-1078-4

I.巴… II.①缇…②泰…③谢… III.图画故事－法国－现代 IV.I565.85

中国版本图书馆CIP数据核字(2009)第224746号

| | | | |
|---|---|---|---|
| 责任编辑：唐 玲 王淑红 | 社 址：广西南宁市园湖南路9号 | 经 销：新华书店 |
| 美术编辑：董 炜 | 邮 编：530022 | 印 制：北京华联印刷有限公司 |
| 责任校对：刘会乔 | 电 话：0771-5863339（发行部） | 开 本：889毫米×1194毫米 1/16 |
| 责任监印：刘 元 | 010-65545240（发行部） | 印 张：2.25 |
| 版权联络：谢逢蓓 | 传 真：0771-5863291（发行部） | 字 数：10千字 |
| 媒介主理：耿 磊 | 010-65545210（发行部） | 版 次：2010年1月第1版 |
| 社 长：黄 俭 | 网 址：http:// www.jielibeijing.com | 印 次：2011年4月第8次印刷 |
| 总 编 辑：白 冰 | http:// www.jielibook.com | 印 数：95 001—115 000册 |
| 出版发行：接力出版社 | E－mail：jielipub@public.nn.gx.cn | 定 价：12.00元 |

# 巴巴爸爸建新家

BARBAPAPA JIAN XIN JIA

[法] 安娜特·缇森　　德鲁斯·泰勒　著　　谢逢蓓　译

接力出版社
Publishing House

巴巴妈妈在院子里织毛衣，巴巴宝宝们和
弗朗斯瓦还有克劳迪娅玩得好开心呀！

巴巴爸爸在那儿发愁，他家的房子好像有点儿小。

真的，他家的房子真是太小了。

弗朗斯瓦说他知道有一座空房子,
可以带大家去看看。

这真是座漂亮的房子啊！
只是有点儿旧。

巴巴爸爸一家开始忙起来，最爱画画儿的巴巴伯在墙上画起花儿。

巴巴爸爸一家跑到旧家具市场上，
每个人都选到了自己喜欢的东西。

巴巴伯买了画架和很多画笔，
巴巴布莱特找到一架很酷的望远镜，
巴巴贝尔选中了一副黄色的手套，
巴巴利波挑到很多书，
巴巴祖看中了好多动物，
巴巴布拉伯扛着许多体育用品，
而巴巴拉拉吹着她新买的小号。

不好啦，城市拆迁队来了！

一些巨大的机器正在拆邻居家的房子，马上就要拆到巴巴爸爸家了。

拆迁队的人请巴巴爸爸一家
住进新盖的高楼里。

巴巴爸爸一家在高楼里可真住不惯。

他们决定离开新房子。

他们走了很久，很久……
一直走到晚上，才在一座美
丽的小山上住下来。

早上醒来，他们决定就在这座小山上盖一座自己的房子。
大家把泥土和水混在一起，涂在巴巴爸爸圆圆的身上。

等泥土干了，房子就造成了。

每个人都可以住进自己的房间了。

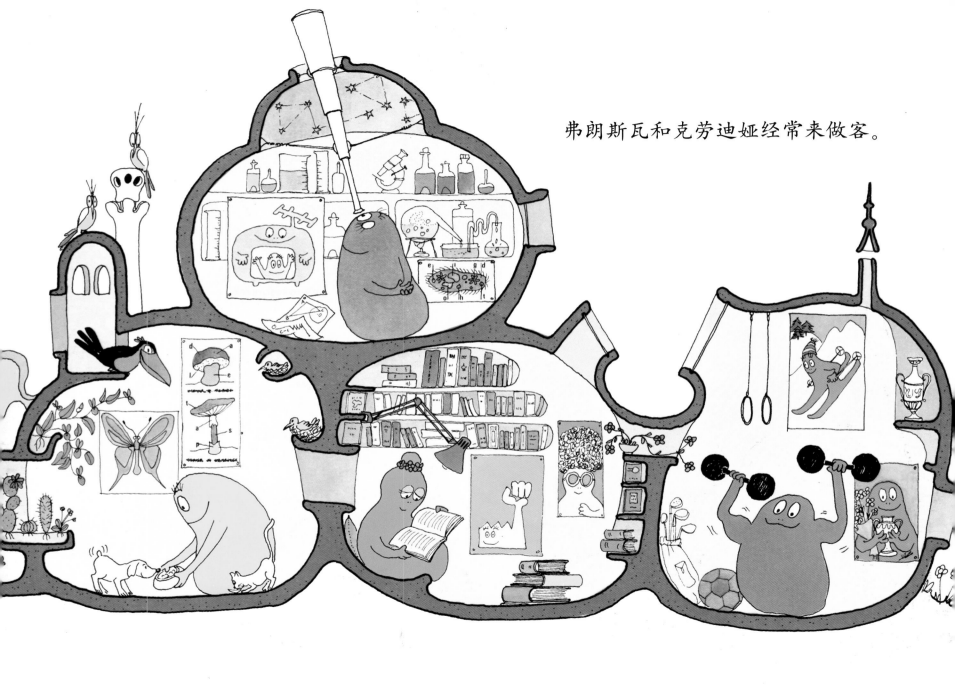

弗朗斯瓦和克劳迪娅经常来做客。

巴巴爸爸和巴巴妈妈的房间可真舒服。

山边的小溪就是他们的浴室。

弗朗斯瓦和克劳迪娅帮着巴巴爸爸一家种植花果。

糟糕，拆迁队又来了！

巴巴爸爸他们用泥土做了好多炮弹。

加了巴巴黏稠粉的炮弹像口香糖一样黏。

巴巴爸爸他们向机器们开战了！炮弹一下就把机器们张开的爪子粘住了，它们再也没办法拆巴巴爸爸家的新房子了。

拆迁队逃走了。巴巴爸爸一家在小山上又唱又跳，庆祝他们的胜利！

夜深了，巴巴爸爸一家
睡得好香好甜。

巴巴布拉伯

巴巴爸爸　　巴巴妈妈

巴巴利波

巴巴贝尔